赵孟頫胆巴碑

中华碑帖精粹 一五

中华书局

图书在版编目（CIP）数据

赵孟頫胆巴碑／中华书局编辑部编．— 北京：
中华书局，2018.7（2023.10 重印）
（中华碑帖精粹）
ISBN 978-7-101-13283-0

Ⅰ．赵… Ⅱ．中… Ⅲ．楷书－碑帖－中国－元代
Ⅳ．J292.25

中国版本图书馆 CIP 数据核字（2018）第 116479 号

中华碑帖精粹
赵孟頫胆巴碑

责任编辑 董 虹 周 璐
责任印刷 陈丽娜

出版发行 中华书局有限公司
地　　址 北京市丰台区太平桥西里 38 号 100073
网　　址 http://www.zhbc.com.cn
E-mail zhbc@zhbc.com.cn
印　　刷 北京雅昌艺术印刷有限公司
开　　本 880×1230 毫米 1/16
印　　张 2.5
版　　次 2018 年 7 月第 1 版
2023 年 10 月第 4 次印刷
印　　数 13001－14500 册

书　号 ISBN 978-7-101-13283-0
定　价 26.00 元

出版说明

楷书以颜、柳、欧、赵四体著称。颜、柳、欧皆是唐人，唯赵孟頫是元代书家。楷书在唐代已经备极法度，赵孟頫在唐楷基础上师古创新，创立赵体，可见其创新之精神。「赵体」楷书的代表作，一是《玄妙观重修三门记》，二是《胆巴碑》。

《胆巴碑》写于延祐三年（一三一六），是赵孟頫六十三岁时的作品。这件作品高三十三点六厘米，横一百六十六厘米，现藏于北京故宫博物院，距今七百年，字迹如新。《胆巴碑》体现了赵体楷书姿媚遒劲的特点。在结构上，赵孟頫取法唐代柳公权和李邕，端庄舒展，开张大度；在用笔上，则多用二王法，故能灵动飘逸，自然协调，与结构的端严形成很好的互补。清人姚元之在题跋中认为这幅作品「饶风致而神力老健」。李鸿裔认为：「点画顾盼遂无一笔失度」，「骨气遒美，纯用本家自运之笔」。可知这幅作品以赵体独特的笔法写成，兼具「遒」与「美」，且体现了赵孟頫书法饶有风致却又法度不失的醇熟精美。

另外，学习赵体楷书，应注意其处处融入的行书技巧，正如启功先生所言，楷书宜当行书写。

大元敕／赐龙兴／

普慈广

崇宁寺

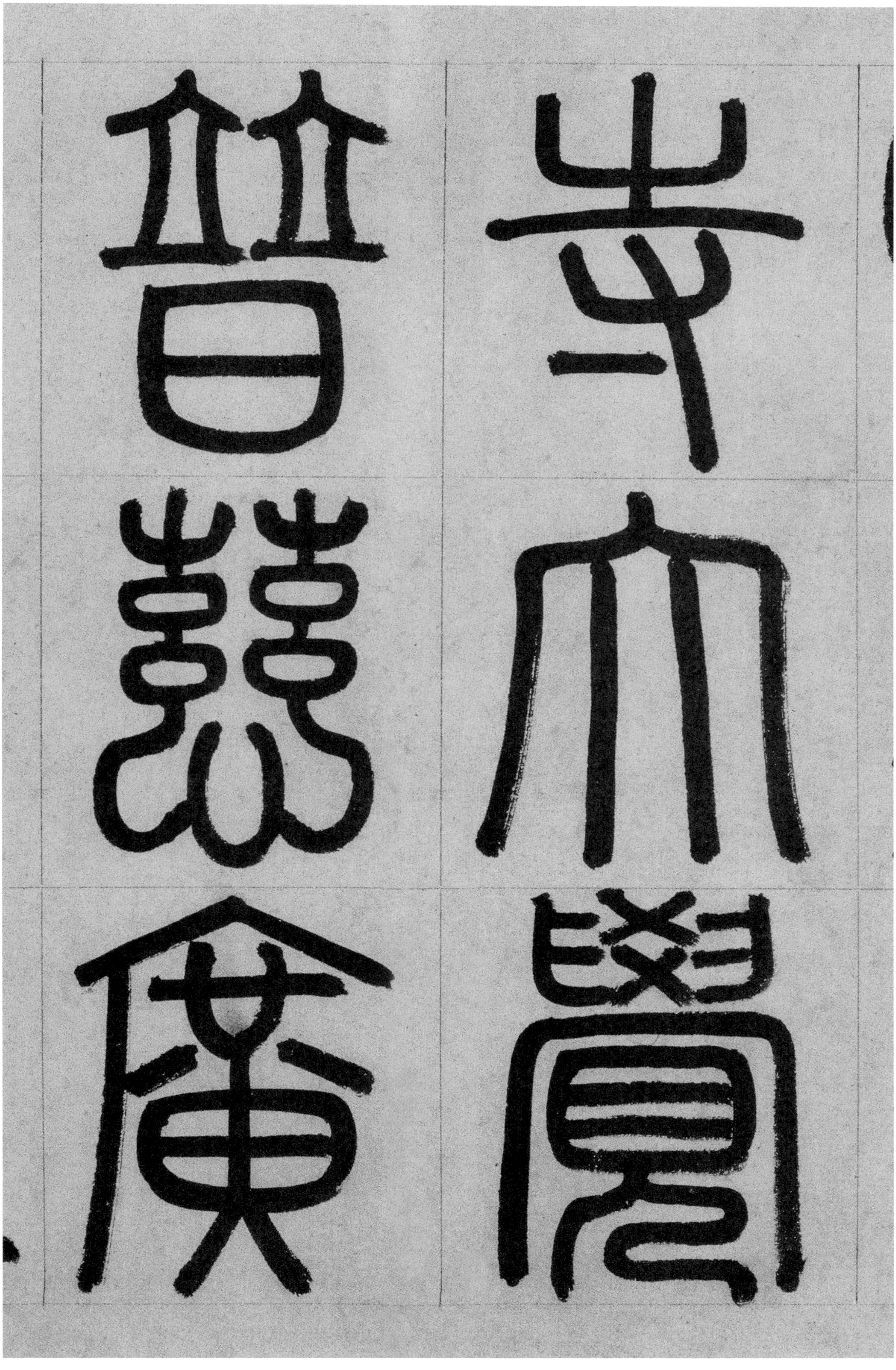

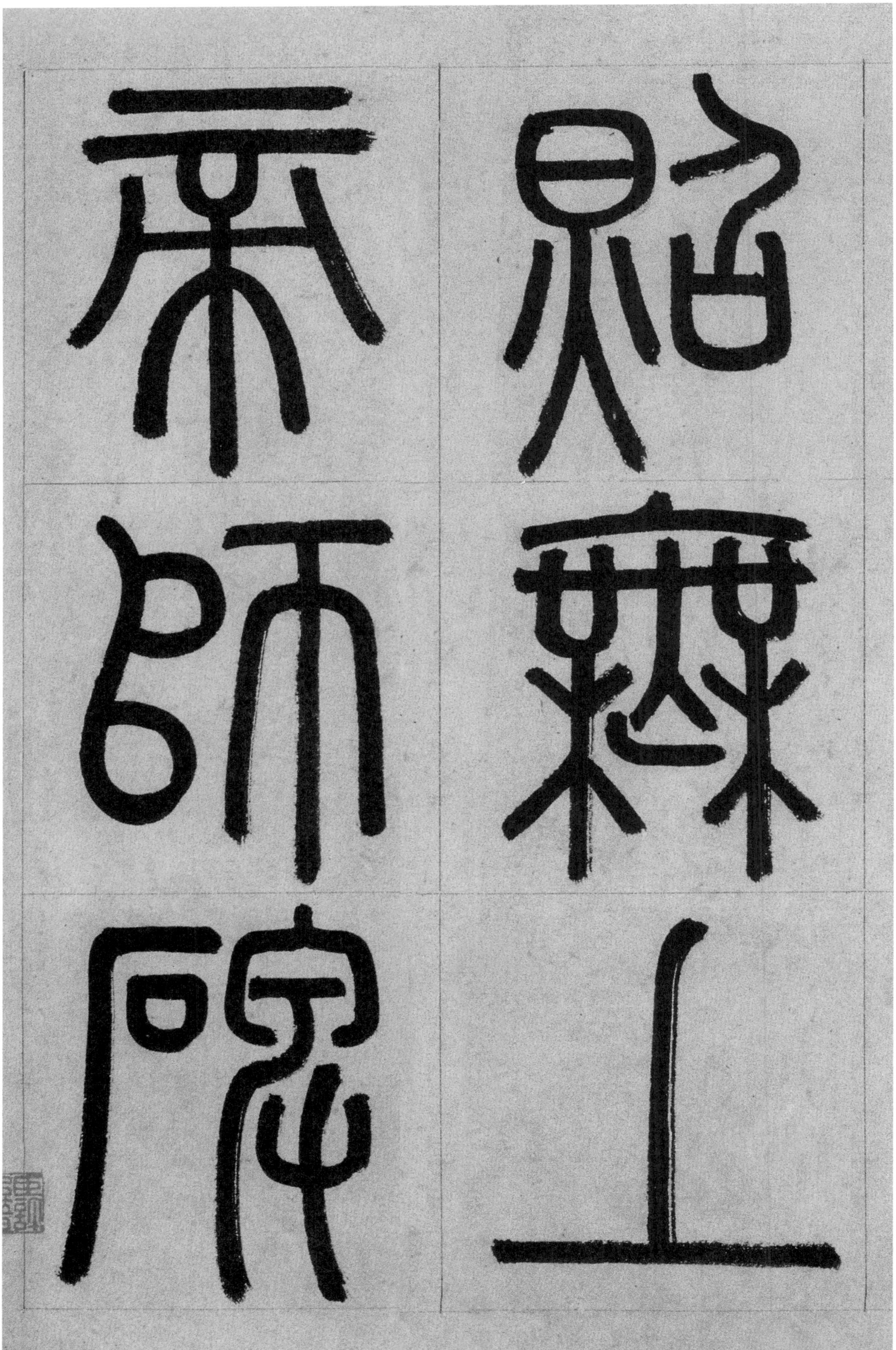

照无上／帝师碑／

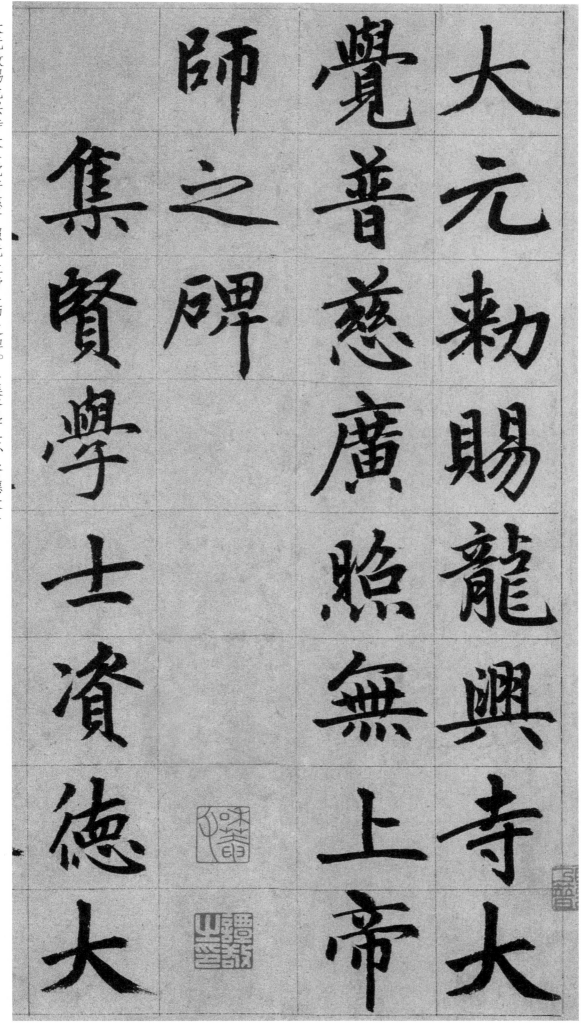

大元勑賜龍興寺大
覺普慈廣照無上帝
師之碑
集賢學士資德大

大元敕赐龙兴寺大／觉普慈广照无上帝／师之碑。／集贤学士、资德大／

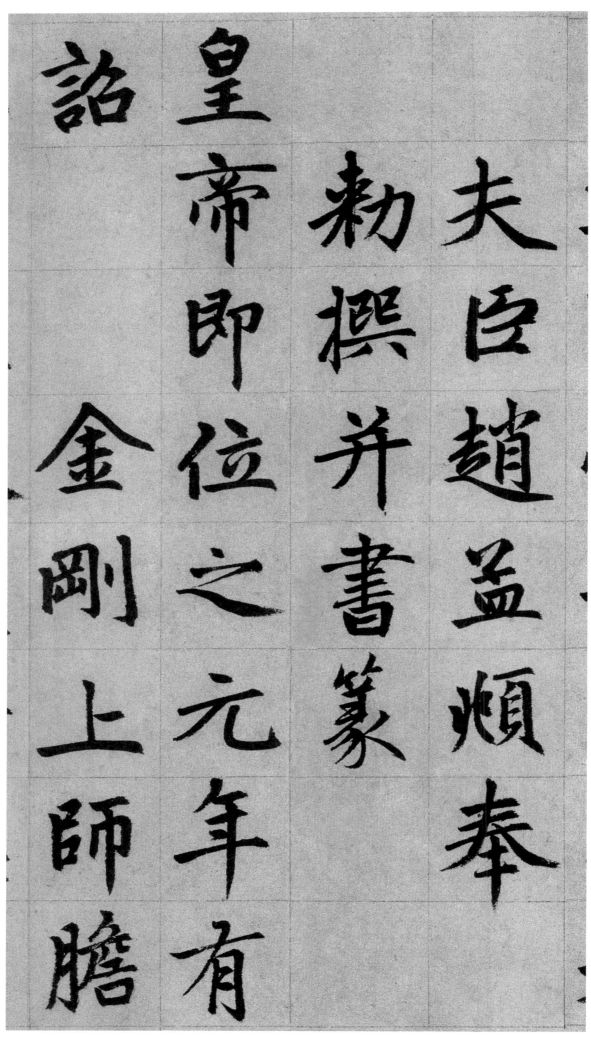

夫臣趙孟頫奉
勑撰并書篆
皇帝即位之元年有
詔金剛上師膽

夫、臣赵孟頫奉/敕撰并书篆。/皇帝即位之元年，有/诏金刚上师胆/

巴賜謚大覺普慈廣
照無上帝師勅
臣孟頫為文并書刻
石大都寺五年

巴，赐谥大觉普慈广／照无上帝师。敕／臣孟頫为文并书，刻／石大都□□寺。五年，／

真定路龍興寺僧迭
凡八奏師本住其寺
乞刻石寺中復
敕臣孟頫為文并書

真定路龙兴寺僧迭／凡八奏，师本住其寺，／乞刻石寺中。复／敕臣孟頫为文并书。／

臣孟頫預議賜謚大
覺以言乎師之體普
慈以言乎師之用廣
照以言慧光之所照

臣孟频预议赐谥，「大／觉」以言乎师之体，「普／慈」以言乎师之用，「广／照」以言慧光之所照／

臨無上以言爲帝者
師既奏有旨於
義甚當謹按師所生
之地曰突甘斯旦麻

临，「无上」以言为帝者/师。既奏，有旨：「于/义甚当。」谨按，师所生/之地曰突甘斯旦麻，/

童子出家事
聖師綽理哲哇為弟
子受名膽巴梵言膽
巴華言微妙先受秘

童子出家，事/圣师绰理哲哇为弟/子，受名胆巴。梵言「胆/巴」，华言「微妙」。先受秘/

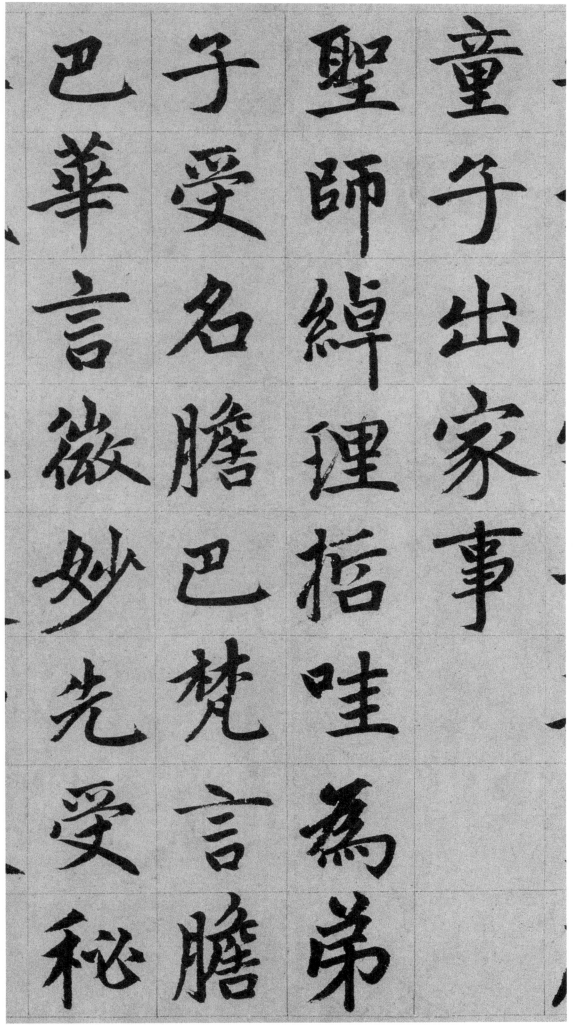

密戒法繼遊西天竺
國徧參高僧受經律
論繇是深入法海博
采道要顯密兩融空

密戒法，继游西天竺／国，遍参高僧，受经、律、／论。繇是深入法海，博／采道要，显密两融，空／

實兼照獨立三界示
眾標的至元七年与
帝師巴思八俱
至中國
帝師者

实兼照，独立三界，示／众标的。至元七年，与／帝师巴思八俱／至中国。帝师者，／

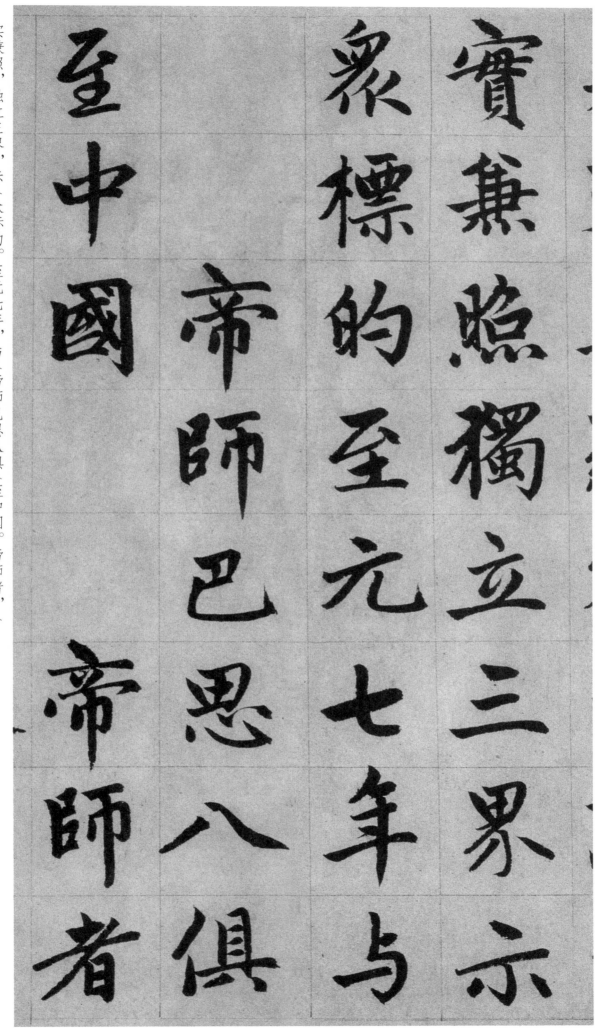

乃　聖師之昆弟
子也　帝師告歸
西蕃以教門之事屬
之於師始於五臺山

乃圣师之昆弟／子也。帝师告归／西蕃，以教门之事属／之于师，始于五台山／

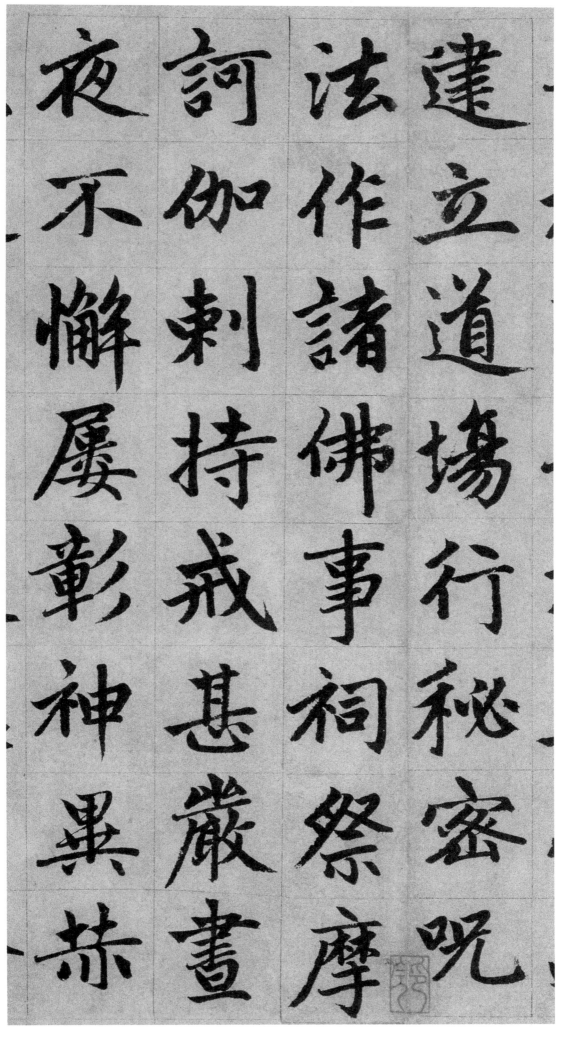

建立道場行秘密呪
法作諸佛事祠祭摩
訶伽剌持戒甚嚴晝
夜不懈屢彰神異赫

建立道场，行秘密咒/法，作诸佛事，祠祭摩/诃伽剌。持戒甚严，昼/夜不懈，屡彰神异，赫/

然流聞自是德業隆
盛人天歸敬
武宗皇帝　皇伯
晉王及

然流闻。自是德业隆/盛，人天归敬。/武宗皇帝、皇伯/晋王及/

今皇帝、/皇太后皆从受戒法，/下至诸王将相贵人，/委重宝为施身，执弟/

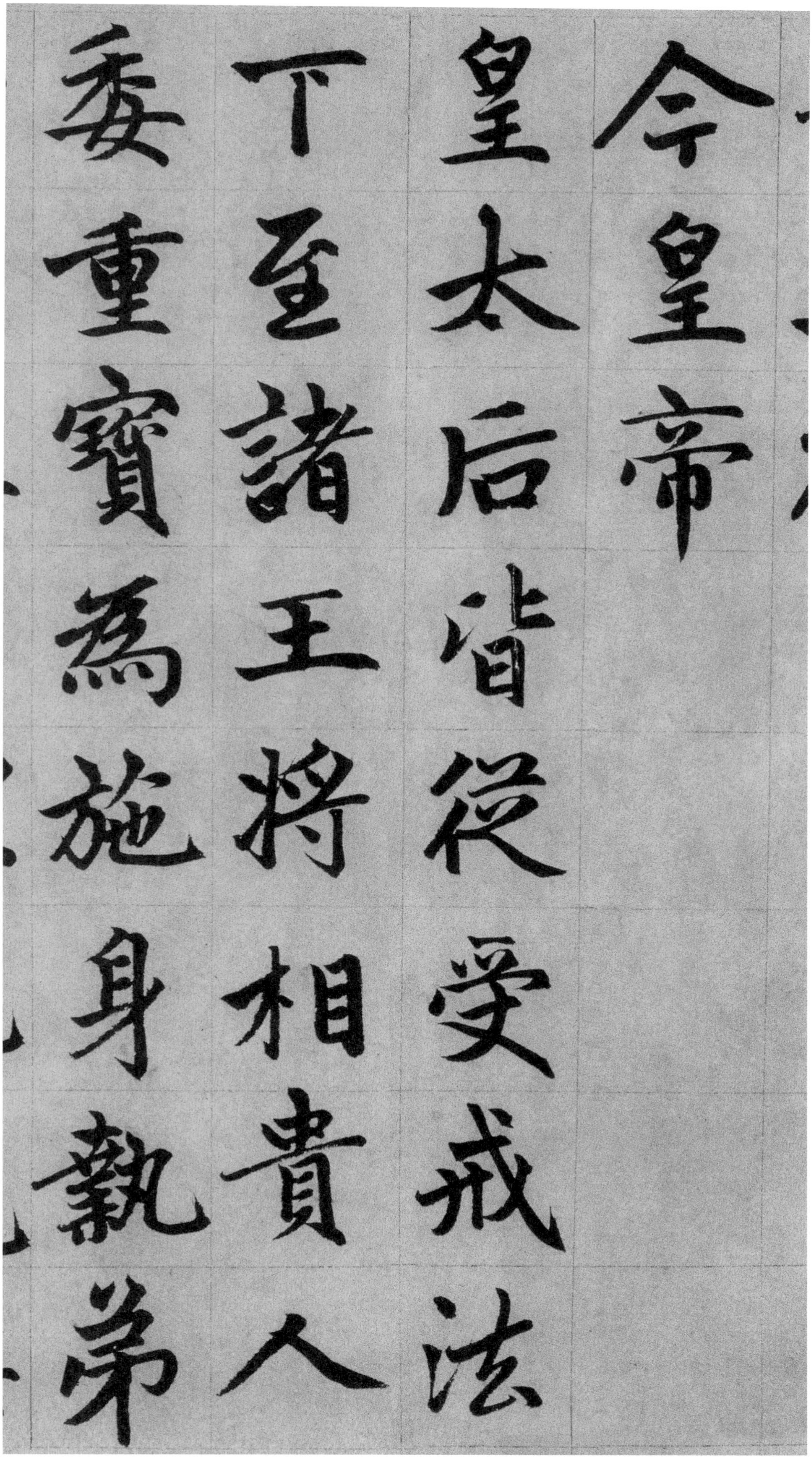

子禮不可勝紀龍興
寺建於隋世寺有金
銅大悲菩薩像五代
時契丹入鎮州縱火

子礼，不可胜纪。龙兴/寺建于隋世，寺有金/铜大悲菩萨像。五代/时契丹入镇州，纵火/

焚寺像毀於火周人
取其銅以鑄錢宋太
祖伐河東像已毀爲
之歎息僧可傳言寺

焚寺，像毁于火，周人／取其铜以铸钱。宋太／祖伐河东，像已毁，为／之叹息。僧可传言，寺／

有復興之讖於是為
降詔復造其像高七
十三尺建大閣三重
以覆之旁翼之以兩

有复兴之谶。于是为/降诏复造其像，高七/十三尺，建大阁三重/以覆之。旁翼之以两/

樓壯麗奇偉世未有
也谿是龍興遂爲河
朔名寺方營閣有美
木自五臺山頰龍河

楼，壮丽奇伟，世未有／也。谿是龙兴遂为河／朔名寺。方营阁，有美／木自五台山颊龙河／

流出計其長短小大
多寡之數與閣材盡
合詔取以賜僧惠演
為之記師始來東土

流出，计其长短小大／多寡之数，与阁材尽／合，诏取以赐，僧惠演／为之记。师始来东土，／

寺講主僧宣微大師
普整雄辯大師永安
等即禮請師為首住
持元貞元年正月師

寺讲主僧宣微大师/普整、雄辩大师永安/等，即礼请师为首住/持。元贞元年正月，师/

忽謂衆僧曰將有聖
人興起山門即爲梵
書奏
徽仁裕聖皇太后奉

忽谓众僧曰：「将有圣/人兴起山门。」即为梵/书奏/徽仁裕圣皇太后，奉/

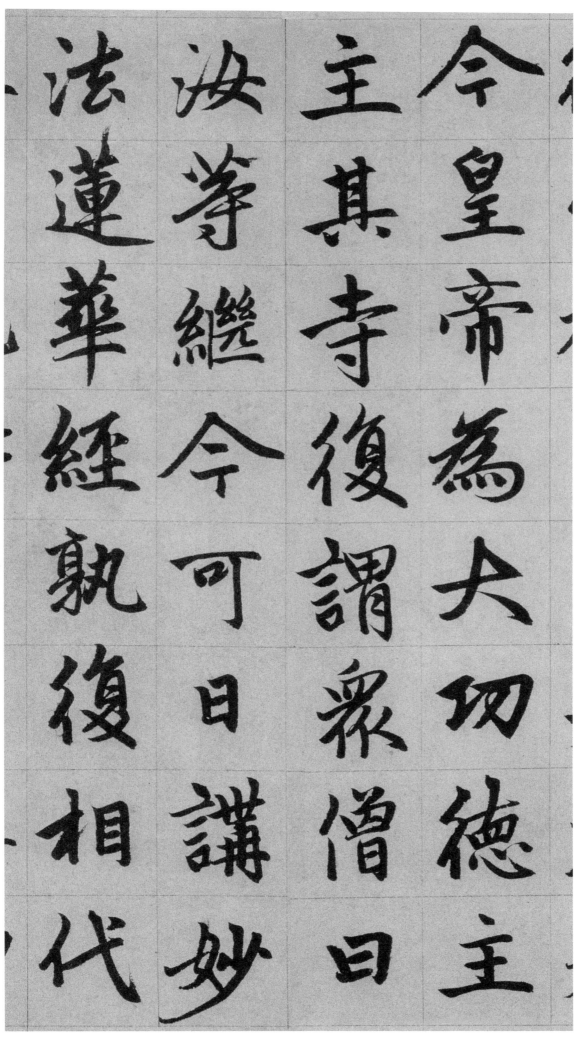

今皇帝為大功德主，主其寺。復謂衆僧曰：「汝等繼今可日講《妙法蓮華經》，孰復相代，

今皇帝为大功德主，主其寺。复谓众僧曰：「汝等继今可日讲《妙法莲华经》，孰复相代，

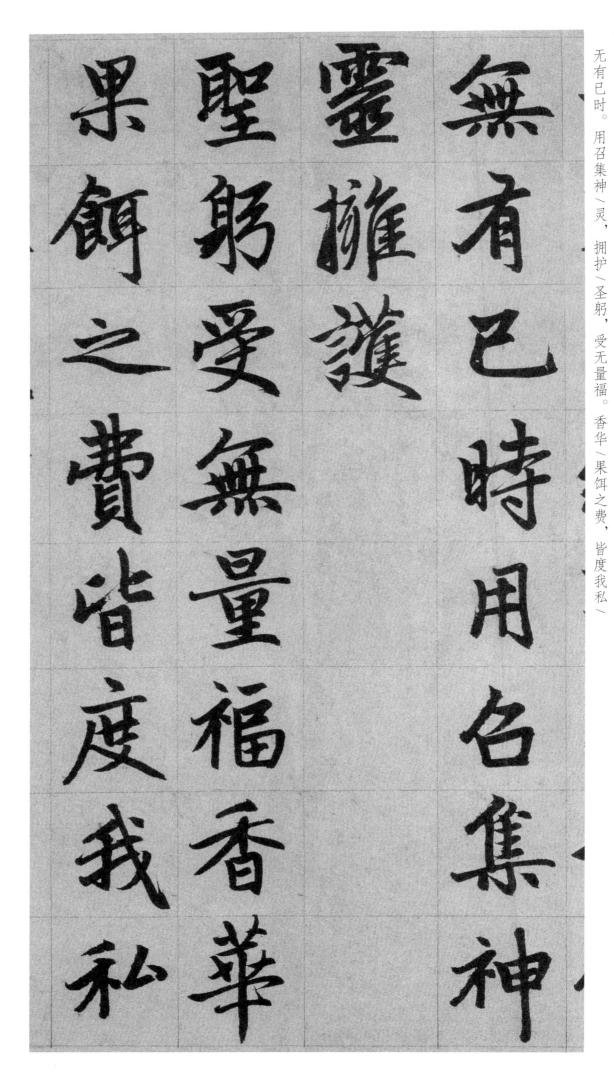

無有已時用名集神
靈擁護
聖躬受無量福香華
果餌之費皆度我私

无有已时。用召集神/灵，拥护/圣躬，受无量福。香华/果饵之费，皆度我私/

財且預言
聖德有受命之苻至
大元年東宮既建以
舊邸田五十頃賜寺

财。」且预言／圣德有受命之苻。至／大元年，东宫既建，以／旧邸田五十顷赐寺／

爲常住業師之所言
至此皆驗大德七年
師在上都彌陁院入
般涅槃現五色寶光

为常住业。师之所言，／至此皆验。大德七年，／师在上都弥陁院入／般涅槃，现五色宝光，／

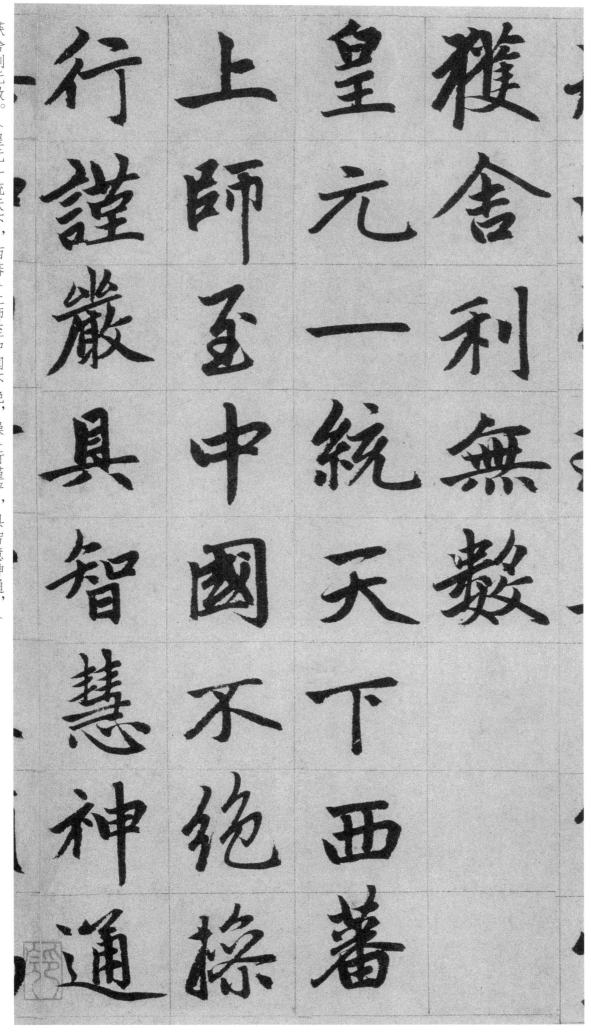

獲舍利無數

皇元一統天下西蕃

上師至中國不絕操

行謹嚴具智慧神通

获舍利无数。/皇元一统天下，西蕃/上师至中国不绝，操/行谨严，具智慧神通，/

無如師者臣孟頫爲
之頌曰
師從無始刼學道不
退轉十方諸如来一

无如师者。臣孟頫为/之颂曰：/师从无始劫，学道不/退转。十方诸如来，一/

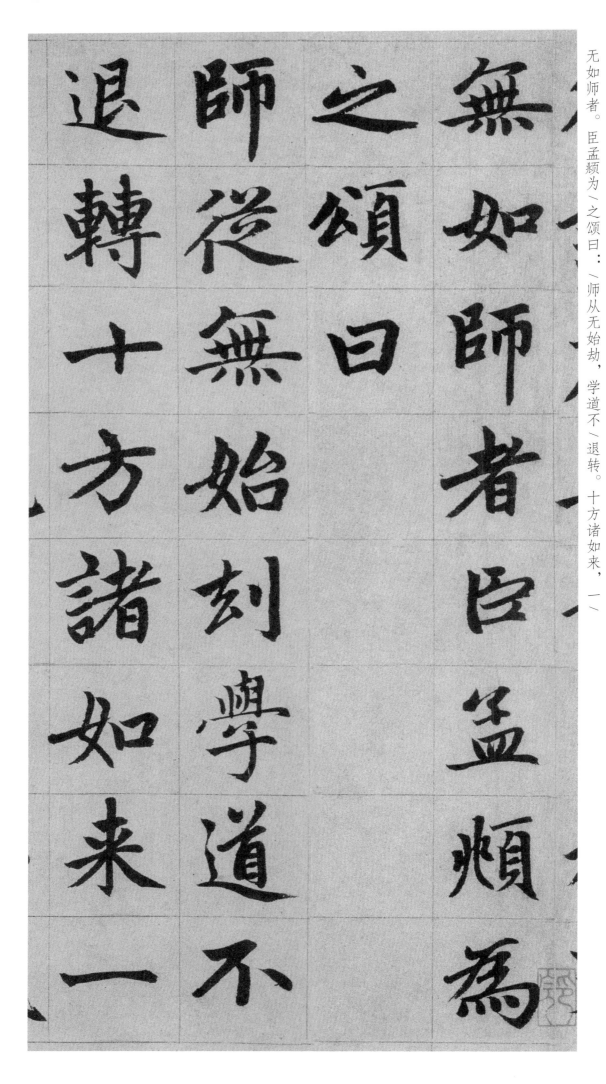

二所受記來世必成
佛住娑婆世界演說
無量義身為
帝王師度脫一切衆

一所受记。来世必成/佛，住娑婆世界。演说/无量义，身为/帝王师。度脱一切众，/

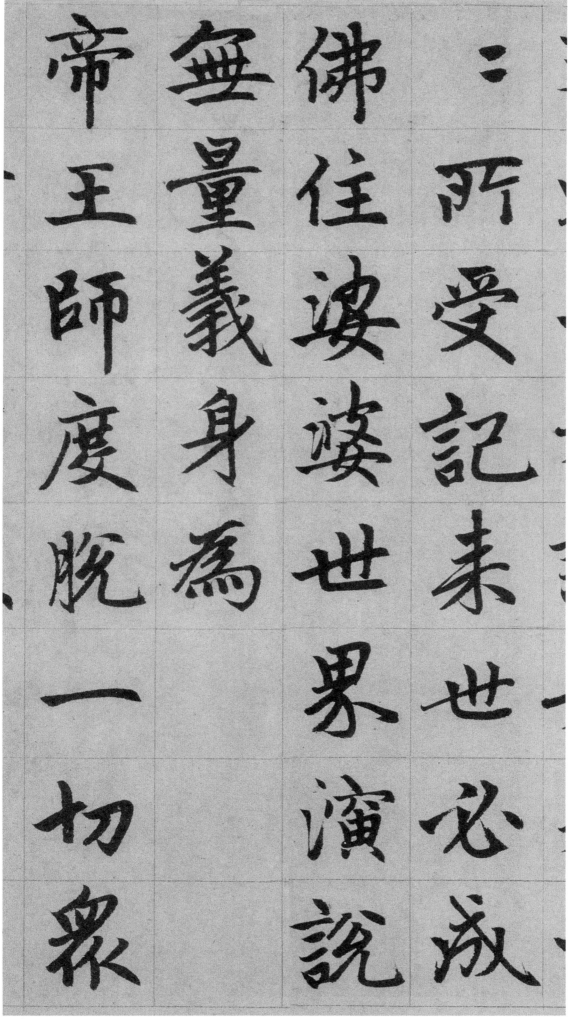

黃金爲宮殿七寶妙
莊嚴種々諸珍異供
養無不備建立大道
場邪魔及外道破滅

黄金为宫殿。七宝妙/庄严，种种诸珍异。供/养无不备，建立大道/场。邪魔及外道，破灭/

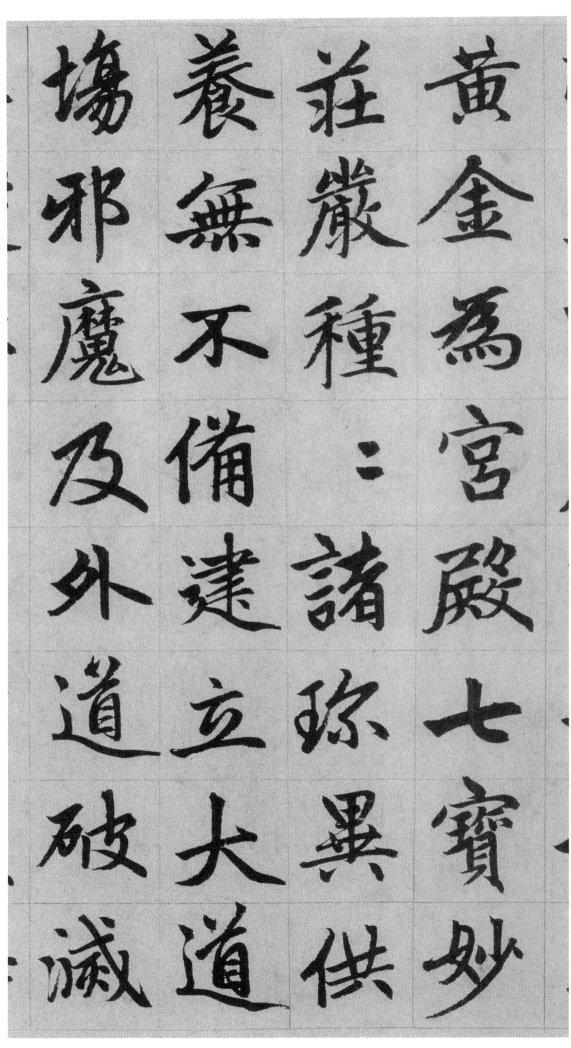

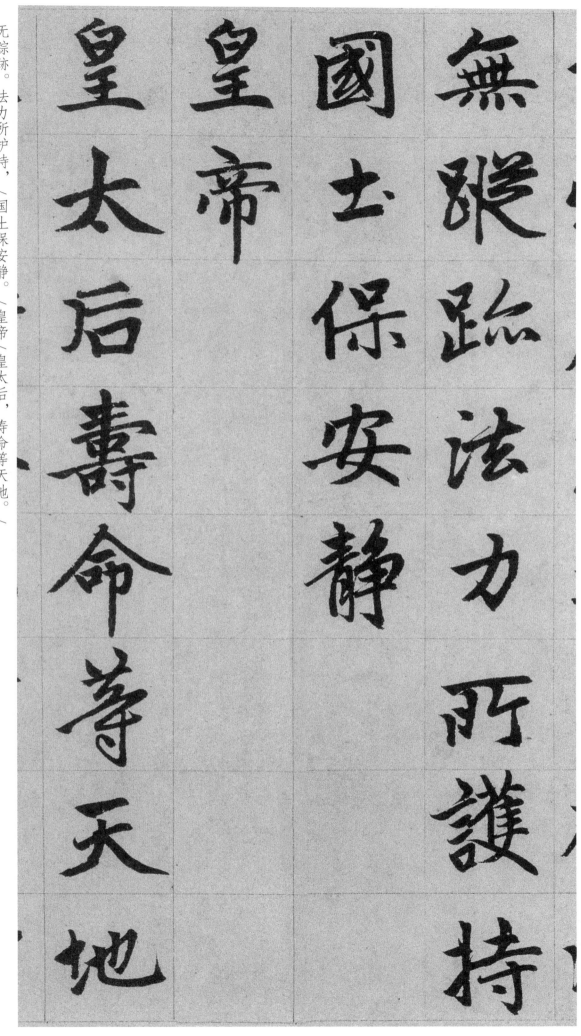

無蹤跡法力所護持
國土保安靜
皇帝
皇太后壽命等天地

无踪跡。法力所护持，／国土保安静。／皇帝／皇太后，寿命等天地。／

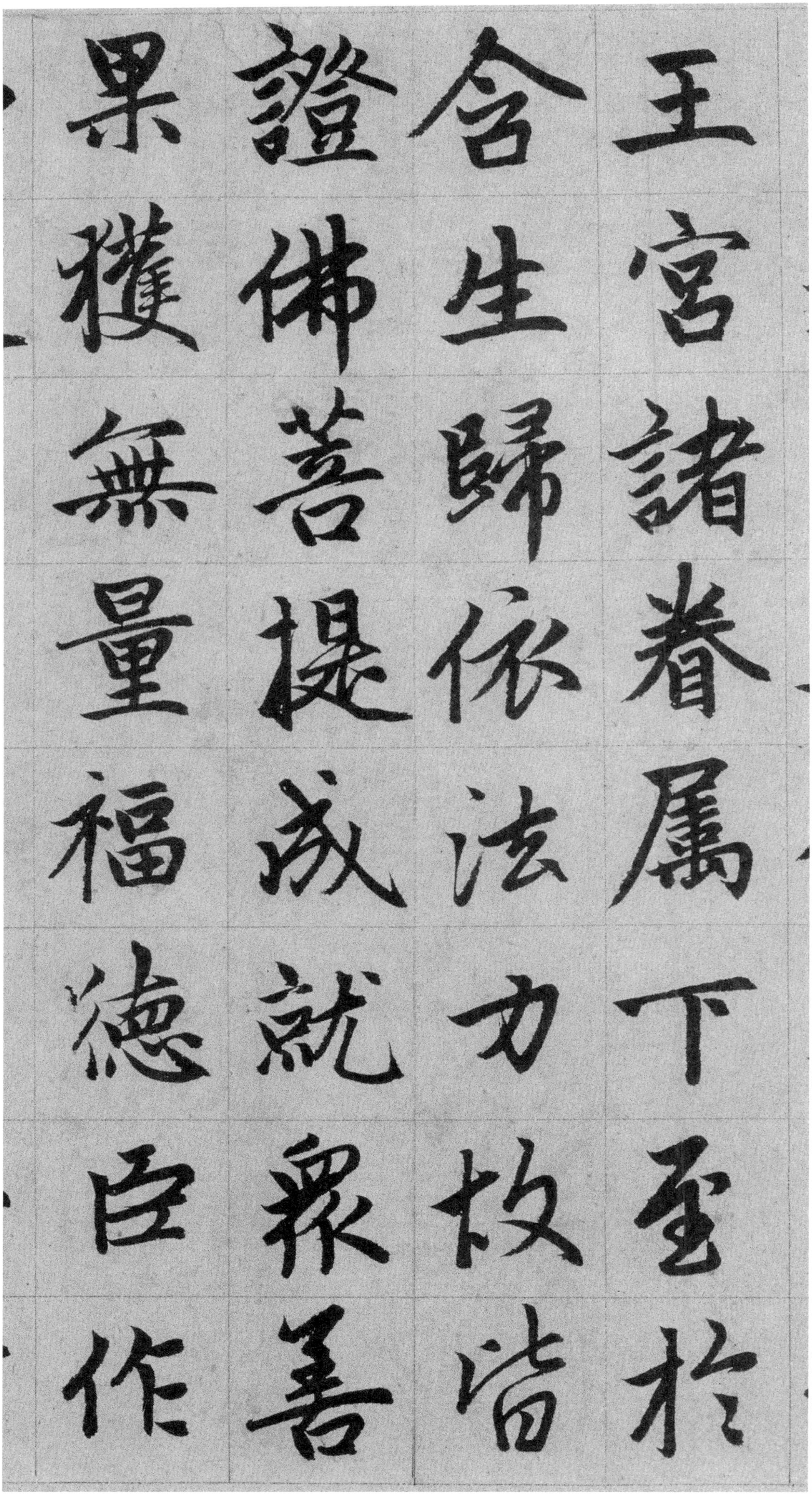

王宫诸眷属，下至于/含生。归依法力故，皆/证佛菩提。成就众善/果，获无量福德。臣作/

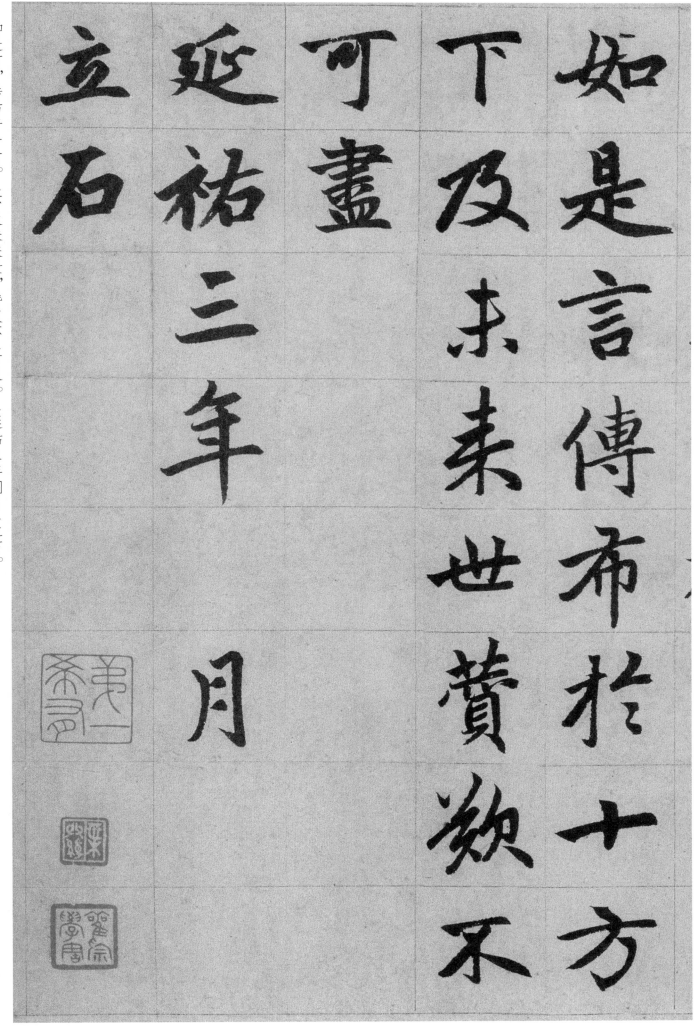

如是言傳布於十方
下及未來世贊歎不
可盡
延祐三年　月
立石

如是言，传布于十方。/下及未来世，赞叹不/可尽。/延祐三年□月/立石。

吳興書此碑年已六十有三去卒時祗七年用筆猶綽約饒
風致而神力老健如挽強者矯矯絕人見之氣增一倍
道光二十有三年歲次癸卯七月大暑後十日姚元之拜觀
戊午己未間客許文恪京邸即知有膽巴碑墨迹
觀文恪新之介題記震世仁兄始得展讀葉葉之幽明
而仍葉葉風趣如鳳皇展翅光采溢目曩遇舫許爲題
書甫一晃迺乙酉二月廿二日楊峴題

咸豐乙卯丙辰間　文廟好松雪書於
是供奉諸臣皆學趙體先府君同直者沈文
定師許仁山師單地山侍讀彭子嘉編修共
五人蒙　發下松雪墨冊二百餘　命諸臣臨

定作 懋勤殿有舊搨可證也作山師收
藏鑒家久精書法素理是依花蘿叢於灌
梓園之池南老屋之池南師所居也作誌
出苔癖木拱矣仁山師秘笈亦復藏出為此語
世人所得出示屬題為之惘惘識 祖蔭跋